AN SAOL ÓG
Leabhair COMHAR

NEANSAÍ AR AN BHFEIRM

Orna Ní Choileáin
Léaráidí
Aidan J Collins

Tá *Leabhair*COMHAR faoi chomaoin ag
Clár na Leabhar Gaeilge (Foras na Gaeilge)

An Chomhairle Ealaíon

as tacaíocht airgid a chur ar fáil le haghaidh fhoilsiú an leabhair seo.

ISBN 978-1-9162403-0-8
Foilsithe ag *Leabhair*COMHAR
(inphrionta de COMHAR,
47 Sráid Harrington,
Baile Átha Cliath 8)
www.comhar.ie/leabhair

Cóipeagarthóir: Pól Ó Cainín
Leagan amach & dearadh clúdaigh: Aidan J Collins
Clódóirí: Johnswood Press

Chuaigh Neansaí ar thuras
go dtí an fheirm lá.

Chuaigh sí trasna go dtí an pháirc.
Chonaic sí asal sa pháirc.
Chuala sí an t-asal ag grágaíl.

‘Cad atá ort?’ a deir Neansaí.
‘Ar mhaith leat teacht amach?’
D’oscail Neansaí an geata.
Amach leis an asal.

Chuaigh Neansaí go dtí an bóitheach.
Chonaic sí an bhó istigh ag búiríl.
'Cad atá ort?' a deir Neansaí.

‘Ar mhaith leat teacht amach?’
D’oscail Neansaí an geata.
Amach leis an mbó.

Chuaigh Neansaí go dtí an loca.
Bhí gabhair istigh. Bhí siad ag meigeallach.

‘Cad atá oraibh?’ a deir Neansaí. ‘An bhfuil ocras oraibh? Ar mhaith libh teacht amach?’ D’oscail Neansaí an geata. Amach leis na gabhair.

Chuaigh Neansaí go dtí an gort.
Bhí caoirigh ann.
Bhí siad ag méileach.

‘Cad atá oraibh?’ a deir Neansaí.
‘An bhfuil ocras oraibh? Ar mhaith libh teacht amach?’
D’oscail Neansaí an geata. Amach leis na caoirigh.

Chuaigh Neansaí go dtí cró na muc.
Bhí muca ann. Bhí siad ag gnúsachtach.
‘Cad atá oraibh?’ a deir Neansaí.

‘An bhfuil ocras oraibh?
Ar mhaith libh teacht amach?’
D’oscail Neansaí an geata.
Amach leis na muca.

Chuaigh Neansaí go dtí an stábla.
Bhí capall istigh. Bhí an capall ag seitreach.
'An bhfuil ocras ort?' a deir Neansaí.

‘Ar mhaith leat teacht amach? Osclóidh mé an doras duit.’
D’oscail Neansaí an doras. Amach leis an gcapall.

Chonaic Neansaí cró na gcearc.
Bhí na cearca istigh. Bhí siad ag sgugarnaíl.
'Cad atá oraibh?' a deir Neansaí.

‘An bhfuil ocras oraibh? Ar mhaith libh teacht amach?’ D’oscail Neansaí an geata. Amach leis na cearca go léir.

Chuaigh sí go dtí an púirín.
Bhí coiníní istigh. Bhí siad ciúin.

‘Ar mhaith libh teacht amach?’ a deir Neansaí. D’oscail sí doras an phúirín. Phreab na coiníní amach.

Chuaigh sí go dtí an conchró.
Bhí madra istigh. Thosaigh an madra ag tafann.

‘Cad atá ort?’ a deir Neansaí.
‘Ar mhaith leat teacht amach?’
Sméid Neansaí leis an madra.
Tháinig sé amach.

Bhain Neansaí amach an teach feirme.
Bhí daoine istigh. Bhí siad ag caint.
Bhí siad ag ól tae agus ag ithe.
D'oscail Neansaí an doras.

Bhreathnaigh na daoine amach. Chonaic siad na hainmhithe ag fánaíocht thart. ‘Cad a tharla?’ ar siad. ‘Cé a lig amach na hainmhithe go léir?’

Amach leis na daoine.
Thosaigh siad ag béicíl.

Bhí roinnt daoine ag caoineadh.
Bhí Neansaí ag gáire léi.

Tháinig sí chomh fada leis an gcoirceog. Bhí beacha istigh. Bhí siad ag crónán. ‘Ar mhaith libh teacht amach?’ D’ardaigh Neansaí an liopa.

D’éalaigh na beacha.
Baineadh geit as Neansaí.
Ní raibh sí ag gáire. Rith sí uathu.

Rith sí ar ais go dtí an teach feirme.
Isteach léi agus dhún an doras ina diaidh.
Ní raibh fonn uirthi teacht amach.